SUKEN NOTEBOOK

チャート式
基礎からの　数学 Ⅲ

完 成 ノ ー ト

【積分法とその応用】

　本書は，数研出版発行の参考書「チャート式 基礎からの　数学 Ⅲ」の
　　　　　　　　　　　第 5 章「積分法」，　第 6 章「積分法の応用」
の例題と練習の全問を掲載した，書き込み式ノートです。
　本書を仕上げていくことで，自然に実力を身につけることができます。

目　次

第 5 章　積　分　法

第 6 章　積分法の応用

１９．不定積分とその基本性質

基 本 例題 129

解説動画

次の不定積分を求めよ。

(1) $\displaystyle \int \frac{(\sqrt{x}-2)^2}{\sqrt{x}}dx$

(2) $\displaystyle \int \frac{x-\cos^2 x}{x\cos^2 x}dx$

(3) $\displaystyle \int \frac{1}{\tan^2 x}dx$

(4) $\displaystyle \int (2e^t - 3\cdot 2^t)dt$

練習 (基本) **129**　次の不定積分を求めよ。

(1) $\displaystyle \int \frac{x^3 - 2x + 1}{x^2}dx$

(2) $\displaystyle\int \frac{(\sqrt[3]{x}-1)^3}{x}dx$

(3) $\displaystyle\int (\tan x +2)\cos x\,dx$

(4) $\displaystyle\int \frac{3-2\cos^2 x}{\cos^2 x}dx$

(5) $\displaystyle\int \sin\frac{x}{2}\cos\frac{x}{2}\,dx$

(6) $\displaystyle\int (3e^t-10^t)dt$

基本 例題 130

(1) 次の条件を満たす関数 $F(x)$ を求めよ。

$$F'(x) = \tan^2 x, \quad F(\pi) = 0$$

(2) 点 $(1, 0)$ を通る曲線 $y = f(x)$ 上の点 (x, y) における接線の傾きが $x\sqrt{x}$ であるとき，微分可能な関数 $f(x)$ を求めよ。

練習 (基本) **130** (1) 次の条件を満たす関数 $F(x)$ を求めよ。

$$F'(x) = e^x - \frac{1}{\sin^2 x}, \quad F\left(\frac{\pi}{4}\right) = 0$$

(2) 曲線 $y=f(x)$ 上の点 (x, y) における法線の傾きが 3^x であり，かつ，この曲線が原点を通るとき，微分可能な関数 $f(x)$ を求めよ。

重要 例題 131

微分可能な関数 $f(x)$ が $f'(x)=\left|e^x-1\right|$ を満たし，$f(1)=e$ であるとき，$f(x)$ を求めよ。

練習 (重要) **131** $x>0$ とする。微分可能な関数 $f(x)$ が $f'(x)=\left|\dfrac{1}{x}-1\right|$ を満たし，$f(2)=-\log 2$ であるとき，$f(x)$ を求めよ。

２０．不定積分の置換積分法・部分積分法

基本 例題 132

□ 解説動画

次の不定積分を求めよ。

(1) $\displaystyle\int \sqrt{2x-3}\,dx$

(2) $\displaystyle\int \cos\left(\frac{2}{3}x-1\right)dx$

(3) $\displaystyle\int \frac{dx}{4x+5}$

(4) $\displaystyle\int 2^{-3x+1}dx$

練習 (基本) **132**　次の不定積分を求めよ。

(1) $\displaystyle\int \frac{1}{4x^2-12x+9}\,dx$

(2) $\displaystyle\int \sqrt[3]{3x+2}\,dx$

(3) $\displaystyle\int e^{-2x+1}dx$

(4) $\displaystyle\int \frac{1}{\sqrt[3]{(1-3x)^2}}\,dx$

(5) $\displaystyle\int \sin(3x-2)dx$

(6) $\displaystyle\int 7^{2x-3}dx$

基本 例題 133

次の不定積分を求めよ。

(1) $\displaystyle \int (2x+1)\sqrt{x+2}\,dx$

(2) $\displaystyle \int \frac{e^{2x}}{(e^x+1)^2}\,dx$

練習 (基本) **133**　次の不定積分を求めよ。

(1) $\displaystyle \int (x+2)\sqrt{1-x}\,dx$

(2) $\displaystyle \int \frac{x}{(x+3)^2}\,dx$

(3) $\displaystyle\int (2x+1)\sqrt{x^2+x+1}\,dx$

(4) $\displaystyle\int \frac{e^{2x}}{e^x+2}\,dx$

(5) $\displaystyle\int \left(\tan x + \frac{1}{\tan x}\right)dx$

(6) $\displaystyle\int \frac{x}{1+x^2}\log(1+x^2)\,dx$

基本 例題 134

次の不定積分を求めよ。

(1) $\displaystyle \int x e^{-\frac{x^2}{2}} dx$

(2) $\displaystyle \int \sin^3 x \cos x \, dx$

(3) $\displaystyle \int \frac{x+1}{x^2+2x-1} dx$

練習 (基本) **134**　次の不定積分を求めよ。

(1) $\displaystyle \int \frac{2x+1}{\sqrt{x^2+x}} dx$

(2) $\displaystyle \int \sin x \cos^2 x \, dx$

12

(3) $\displaystyle\int \frac{1}{x\log x}dx$

基 本 例題 135

解説動画

次の不定積分を求めよ。

(1) $\displaystyle\int xe^{2x}dx$

(2) $\displaystyle\int \log(x+1)dx$

(3) $\displaystyle\int x\cos 2x\,dx$

練習 (基本) **135**　次の不定積分を求めよ。

(1)　$\displaystyle \int x e^{-x} dx$

(2)　$\displaystyle \int x \sin x \, dx$

(3)　$\displaystyle \int x^2 \log x \, dx$

(4)　$\displaystyle \int x \cdot 3^x dx$

(5)　$\displaystyle \int \frac{\log(\log x)}{x} dx$

基本 例題 136

次の不定積分を求めよ。

(1) $\displaystyle\int x^2 \sin x\, dx$

(2) $\displaystyle\int (\log x)^2\, dx$

(3) $\displaystyle\int x^2 e^{2x}\, dx$

練習 (基本) **136** 次の不定積分を求めよ。

(1) $\displaystyle\int x^2\cos x\,dx$

(2) $\displaystyle\int x^2 e^{-x}\,dx$

(3) $\displaystyle\int x\tan^2 x\,dx$

重要 例題 137 □ ▷ 解説動画

不定積分 $\displaystyle\int e^x \sin x\, dx$ を求めよ。

練習 (重要) **137**　次の不定積分を求めよ。

(1)　$\displaystyle\int e^{-x}\cos x\, dx$

(2) $\displaystyle\int \sin(\log x)\,dx$

重要 例題 138 □

n は 0 以上の整数とし，$I_n = \displaystyle\int \sin^n x\,dx$ とする。このとき，次の等式が成り立つことを証明せよ。ただし，$\sin^0 x = 1$ である。

$$n \geqq 2 \text{ のとき} \quad I_n = \frac{1}{n}\{-\sin^{n-1} x \cos x + (n-1)I_{n-2}\}$$

練習 (重要) **138** n は整数とする。次の等式が成り立つことを証明せよ。ただし，$\cos^0 x = 1$，$(\log x)^0 = 1$ である。

(1) $\displaystyle\int \cos^n x\,dx = \frac{1}{n}\left\{\sin x \cos^{n-1} x + (n-1)\int \cos^{n-2} x\,dx\right\}$ $(n \geqq 2)$

(2) $\displaystyle\int (\log x)^n\,dx = x(\log x)^n - n\int (\log x)^{n-1}\,dx$ $(n \geqq 1)$

(3) $\displaystyle\int x^n \sin x\,dx = -x^n \cos x + n\int x^{n-1}\cos x\,dx$ $(n \geqq 1)$

２１．いろいろな関数の不定積分

基 本 例題 139

□ ▶ 解説動画

次の不定積分を求めよ。

(1) $\displaystyle\int \frac{x^3+x}{x^2-1}dx$

(2) $\displaystyle\int \frac{x+5}{x^2+x-2}dx$

(3) $\displaystyle\int \frac{x}{(2x-1)^4}dx$

練習 (基本) **139**　次の不定積分を求めよ。

(1) $\displaystyle\int \frac{x^3+2x}{x^2+1}dx$

(2) $\displaystyle\int \frac{x^2}{x^2-1}dx$

(3) $\displaystyle\int \frac{4x^2+x+1}{x^3-1}dx$

(4) $\displaystyle\int \frac{3x+2}{x(x+1)^2}dx$

基本 例題 140

次の不定積分を求めよ。

(1) $\displaystyle\int \frac{x}{\sqrt{x+9}+3}\,dx$

(2) $\displaystyle\int x\sqrt[3]{x+3}\,dx$

(3) $\displaystyle\int \frac{dx}{x\sqrt{x+1}}$

練習 (基本) 140　次の不定積分を求めよ。

(1) $\displaystyle\int \frac{x}{\sqrt{2x+1}-1}\,dx$

(2) $\displaystyle\int (x+1)\sqrt[4]{2x-3}\,dx$

(3) $\displaystyle\int \frac{x+1}{x\sqrt{2x+1}}\,dx$

重要 例題 141　　　　　　　　　　　　　　　　　　　　　　　　　□

$x+\sqrt{x^2+1}=t$ のおき換えを利用して，次の不定積分を求めよ。

(1) $\displaystyle\int \frac{1}{\sqrt{x^2+1}}\,dx$

(2) $\displaystyle\int \sqrt{x^2+1}\,dx$

練習 (重要) **141** $x+\sqrt{x^2+A}=t$ （A は定数）のおき換えを利用して，次の不定積分を求めよ。ただし，(1)，(2) では $a\neq 0$ とする。

(1) $\displaystyle\int \frac{1}{\sqrt{x^2+a^2}}\,dx$

(2) $\displaystyle\int \sqrt{x^2+a^2}\,dx$

(3) $\displaystyle\int \dfrac{dx}{x+\sqrt{x^2-1}}$

基本 例題 142

次の不定積分を求めよ。

(1) $\displaystyle\int \cos^2 x\,dx$

(2) $\displaystyle\int \cos^3 x\, dx$

(3) $\displaystyle\int \sin 2x \cos 3x\, dx$

練習 (基本) **142** 次の不定積分を求めよ。

(1) $\displaystyle\int \sin^2 x\, dx$

(2) $\displaystyle\int \sin^3 x\, dx$

(3) $\displaystyle\int \cos 3x \cos 5x\, dx$

基本 例題 143

次の不定積分を求めよ。

(1) $\displaystyle\int \frac{\sin x - \sin^3 x}{1 + \cos x}dx$

(2) $\displaystyle\int \frac{dx}{\sin x}$

練習 (基本) **143**　次の不定積分を求めよ。

(1) $\displaystyle\int \frac{dx}{\cos x}$

(2) $\displaystyle\int \frac{\cos x + \sin 2x}{\sin^2 x}dx$

(3) $\displaystyle\int \sin^2 x \tan x\, dx$

重要 例題 144

$\tan\dfrac{x}{2}=t$ とおき，不定積分 $\displaystyle\int \dfrac{dx}{5\sin x+3}$ を求めよ。

練習 (重要) **144**　次の不定積分を（　）内のおき換えによって求めよ。

(1)　$\displaystyle \int \frac{dx}{\sin x - 1}$　$\left(\tan \dfrac{x}{2} = t \right)$

(2)　$\displaystyle \int \frac{dx}{\sin^4 x}$　$(\tan x = t)$

２２．定積分とその基本性質

基本 例題 145   □ ▶解説動画

次の定積分を求めよ。

(1) $\displaystyle\int_1^2 \frac{x-1}{\sqrt[3]{x}}\,dx$

(2) $\displaystyle\int_1^3 \frac{1}{x^2+3x}\,dx$

(3) $\displaystyle\int_0^{\frac{\pi}{8}} \sin^2 2x\,dx$

(4) $\displaystyle\int_1^e \frac{\log x}{x}\,dx$

練習 (基本) **145**   次の定積分を求めよ。

(1) $\displaystyle\int_1^3 \frac{(x^2-1)^2}{x^4}\,dx$

(2) $\displaystyle\int_0^1 (x+1-\sqrt{x})^2 dx$

(3) $\displaystyle\int_0^1 \frac{4x-1}{2x^2+5x+2} dx$

(4) $\displaystyle\int_0^\pi (2\sin x + \cos x)^2 dx$

(5) $\displaystyle\int_{\frac{\pi}{4}}^{\frac{\pi}{2}} \frac{\sin 3x}{\sin x} dx$

(6) $\displaystyle\int_0^{\log 7}\dfrac{e^x}{1+e^x}dx$

$\boxed{重}\boxed{要}$ **例題 146**

定積分 $\displaystyle\int_0^\pi \sin mx\cos nx\,dx$ の値を求めよ。ただし，m，n は自然数とする。

練習 (重要) **146** 次の定積分を求めよ。

(1) $\displaystyle\int_0^\pi \sin mx \sin nx\, dx$ （m, n は自然数）

(2) $\displaystyle\int_0^\pi \cos mx \cos 2x\, dx$ （m は整数）

基本 例題 147

定積分 $I = \displaystyle\int_0^\pi |\sin x + \sqrt{3}\cos x|\,dx$ を求めよ。

練習 (基本) **147** 次の定積分を求めよ。

(1) $\displaystyle\int_0^5 \sqrt{|x-4|}\,dx$

(2) $\displaystyle\int_0^{\frac{\pi}{2}} \left| \cos x - \frac{1}{2} \right| dx$

(3) $\displaystyle\int_0^{\pi} \left| \sqrt{3} \sin x - \cos x - 1 \right| dx$

２３．定積分の置換積分法・部分積分法

基本 例題 148

次の定積分を求めよ。

(1) $\displaystyle\int_1^4 \frac{x}{\sqrt{5-x}}\,dx$

(2) $\displaystyle\int_0^{\frac{\pi}{2}} \frac{\sin x \cos x}{1+\sin^2 x}\,dx$

練習 (基本) **148**　次の定積分を求めよ。

(1) $\displaystyle\int_0^2 x\sqrt{2-x}\,dx$

(2) $\displaystyle\int_0^1 \frac{x-1}{(2-x)^2}\,dx$

(3) $\displaystyle\int_0^{\frac{2}{3}\pi} \sin^3\theta\,d\theta$

(4) $\displaystyle\int_0^{\frac{\pi}{2}} \frac{\cos\theta}{2-\sin^2\theta}\,d\theta$

(5) $\displaystyle\int_{\log\pi}^{\log 2\pi} e^x \sin e^x\,dx$

(6) $\displaystyle\int_{\frac{\pi}{6}}^{\frac{\pi}{4}} \tan x\,dx$

基本 例題 149

次の定積分を求めよ。(1) では a は正の定数とする。

(1) $\displaystyle\int_0^{\frac{a}{2}} \sqrt{a^2 - x^2}\, dx$

(2) $\displaystyle\int_0^{\sqrt{2}} \dfrac{dx}{\sqrt{4 - x^2}}$

練習 (基本) **149** 次の定積分を求めよ。

(1) $\displaystyle\int_0^3 \sqrt{9 - x^2}\, dx$

(2) $\displaystyle\int_0^2 \frac{dx}{\sqrt{16-x^2}}$

(3) $\displaystyle\int_0^{\sqrt{3}} \frac{x^2}{\sqrt{4-x^2}}\,dx$

基本 例題 150

次の定積分を求めよ。

(1) $\displaystyle\int_1^{\sqrt{3}} \frac{dx}{x^2+3}$

(2) $\displaystyle\int_{-1}^1 \frac{dx}{x^2+2x+5}$

練習(基本)**150** 次の定積分を求めよ。

(1) $\displaystyle\int_0^{\sqrt{3}} \frac{dx}{1+x^2}$

(2) $\displaystyle\int_1^4 \frac{dx}{x^2-2x+4}$

(3) $\displaystyle\int_0^{\sqrt{2}} \frac{dx}{(x^2+2)\sqrt{x^2+2}}$

基本 例題 151

次の定積分を求めよ。(1) では a は定数とする。

(1) $\displaystyle\int_{-a}^{a} \frac{x^3}{\sqrt{a^2+x^2}} dx$

(2) $\displaystyle\int_{-\frac{\pi}{2}}^{\frac{\pi}{2}}(2\sin x+\cos x)^3dx$

練習 (基本) **151** 次の定積分を求めよ。(2) では a は定数とする。

(1) $\displaystyle\int_{-\pi}^{\pi}(2\sin t+3\cos t)^2dt$

(2) $\displaystyle\int_{-a}^{a}x\sqrt{a^2-x^2}\,dx$

(3) $\displaystyle\int_{-\frac{\pi}{3}}^{\frac{\pi}{3}}(\cos x+x^2\sin x)dx$

重要 例題 152

$f(x)$ は連続な関数，a は正の定数とする。

(1) 等式 $\displaystyle\int_0^a f(x)\,dx = \int_0^a f(a-x)\,dx$ を証明せよ。

(2) (1) の等式を利用して，定積分 $\displaystyle\int_0^a \frac{e^x}{e^x + e^{a-x}}\,dx$ を求めよ。

練習 (重要) 152 (1) 連続な関数 $f(x)$ について，等式 $\displaystyle\int_0^{\frac{\pi}{2}} f(\sin x)\,dx = \int_0^{\frac{\pi}{2}} f(\cos x)\,dx$ を証明せよ。

(2)　定積分 $I = \displaystyle\int_0^{\frac{\pi}{2}} \dfrac{\sin x}{\sin x + \cos x} dx$ を求めよ。

重要 **例題 153**

(1)　連続な関数 $f(x)$ について，等式 $\displaystyle\int_0^{\pi} x f(\sin x)\, dx = \dfrac{\pi}{2}\int_0^{\pi} f(\sin x)\, dx$ を示せ。

(2) (1) の等式を利用して，定積分 $\displaystyle\int_0^\pi \frac{x\sin x}{3+\sin^2 x}dx$ を求めよ。

練習 (重要) **153** (1) 連続関数 $f(x)$ が，すべての実数 x について $f(\pi-x)=f(x)$ を満たすとき，$\displaystyle\int_0^\pi \left(x-\frac{\pi}{2}\right)f(x)\,dx=0$ が成り立つことを証明せよ。

(2) 定積分 $\displaystyle\int_0^\pi \frac{x\sin^3 x}{4-\cos^2 x}dx$ を求めよ。

基 本 例題 154

次の定積分を求めよ。

(1) $\displaystyle\int_1^2 \frac{\log x}{x^2}dx$

解説動画

(2) $\displaystyle\int_0^{2\pi} x^2 |\sin x| dx$

練習(基本)**154** 次の定積分を求めよ。(4) では $a,\ b$ は定数とする。

(1) $\displaystyle\int_0^{\frac{1}{3}} xe^{3x} dx$

(2) $\displaystyle\int_1^e x^2 \log x\, dx$

(3) $\displaystyle\int_1^e (\log x)^2 dx$

(4) $\displaystyle\int_a^b (x-a)^2(x-b)\, dx$

(5) $\displaystyle\int_0^{2\pi}\left|x\cos\frac{x}{3}\right|dx$

重 要 例題 155 □

a は 0 でない定数とし，$\displaystyle A=\int_0^{\pi}e^{-ax}\sin 2x\,dx$, $\displaystyle B=\int_0^{\pi}e^{-ax}\cos 2x\,dx$ とする。このとき，A, B の値をそれぞれ求めよ。

練習 (重要) **155** (1) $\displaystyle\int_0^\pi e^{-x}\sin x\,dx$ を求めよ。

(2) (1) の結果を用いて，$\displaystyle\int_0^\pi xe^{-x}\sin x\,dx$ を求めよ。

重要 例題 156

$I_n = \displaystyle\int_0^{\frac{\pi}{2}} \sin^n x\,dx$ (n は 0 以上の整数) とするとき，関係式 $I_n = \dfrac{n-1}{n} I_{n-2}$ ($n \geqq 2$) と，次の [1]，[2]

が成り立つことを証明せよ。ただし，$\sin^0 x = \cos^0 x = 1$ である。

[1] $I_0 = \dfrac{\pi}{2}$, $n \geqq 1$ のとき $I_{2n} = \dfrac{\pi}{2} \cdot \dfrac{1}{2} \cdot \dfrac{3}{4} \cdot \cdots\cdots \cdot \dfrac{2n-1}{2n}$

[2] $I_1 = 1$, $n \geqq 2$ のとき $I_{2n-1} = 1 \cdot \dfrac{2}{3} \cdot \dfrac{4}{5} \cdot \cdots\cdots \cdot \dfrac{2n-2}{2n-1}$

練習 (重要) **156** (1) $I_n = \displaystyle\int_0^{\frac{\pi}{2}} \sin^n x\,dx$, $J_n = \displaystyle\int_0^{\frac{\pi}{2}} \cos^n x\,dx$ (n は 0 以上の整数) とすると,

$I_n = J_n$ ($n \geqq 0$) が成り立つことを示せ。ただし,$\sin^0 x = \cos^0 x = 1$ である。

(2) $I_n = \displaystyle\int_0^{\frac{\pi}{4}} \tan^n x\,dx$ (n は自然数) とする。$n \geqq 3$ のときの I_n を,n, I_{n-2} を用いて表せ。また,I_3, I_4 を求めよ。

重要 例題 157

$B(m, n) = \displaystyle\int_0^1 x^{m-1}(1-x)^{n-1}dx$ [m, n は自然数] とする。次のことを証明せよ。

(1) $B(m, n) = B(n, m)$

(2) $B(m, n) = \dfrac{n-1}{m}B(m+1, n-1)$ [$n \geqq 2$]

(3) $B(m, n) = \dfrac{(m-1)!(n-1)!}{(m+n-1)!}$

練習 (重要) **157** m, n を 0 以上の整数として, $I_{m,\ n} = \displaystyle\int_0^{\frac{\pi}{2}} \sin^m x \cos^n x\, dx$ とする。ただし, $\sin^0 x = \cos^0 x = 1$ である。

(1) $I_{m,\ n} = I_{n,\ m}$ および $I_{m,\ n} = \dfrac{n-1}{m+n} I_{m,\ n-2}$ $(n \geqq 2)$ を示せ。

(2) (1) の等式を利用して，次の定積分を求めよ。

(ア) $\displaystyle\int_0^{\frac{\pi}{2}} \sin^6 x \cos^3 x\,dx$

(イ) $\displaystyle\int_0^{\frac{\pi}{2}} \sin^5 x \cos^7 x\,dx$

重要 例題 158

(1) $f(x)=\dfrac{e^x}{e^x+1}$ のとき，$y=f(x)$ の逆関数 $y=g(x)$ を求めよ。

(2) (1) の $f(x)$, $g(x)$ に対し，次の等式が成り立つことを示せ。

$$\int_a^b f(x)\,dx + \int_{f(a)}^{f(b)} g(x)\,dx = b f(b) - a f(a)$$

練習 (重要) **158** a を正の定数とする。任意の実数 x に対して，$x = a \tan y$ を満たす $y \left(-\dfrac{\pi}{2} < y < \dfrac{\pi}{2} \right)$ を対応させる関数を $y = f(x)$ とするとき，$\displaystyle\int_0^a f(x)\,dx$ を求めよ。

２４．定積分で表された関数

基本 例題 159

解説動画

次の関数を微分せよ。

(1)　$f(x) = \displaystyle\int_0^x (t-x)\sin t\, dt$

(2)　$f(x) = \displaystyle\int_{x^2}^{x^3} \frac{1}{\log t}\, dt \quad (x>0)$

練習 (基本) **159**　次の関数を微分せよ。ただし，(3) では $x>0$ とする。

(1)　$y = \displaystyle\int_0^x (x-t)^2 e^t\, dt$

(2) $\quad y = \displaystyle\int_x^{x+1} \sin \pi t\, dt$

(3) $\quad y = \displaystyle\int_x^{x^2} \log t\, dt$

基本 例題 160

次の等式を満たす関数 $f(x)$ を求めよ。(2) では，定数 a，b の値も求めよ。

(1) $\quad f(x) = 3x + \displaystyle\int_0^{\pi} f(t) \sin t\, dt$

(2) $\displaystyle\int_a^x (x-t)f(t)\,dt = xe^{-x} + b$

練習 (基本) **160** 次の等式を満たす関数 $f(x)$ を求めよ。

(1) $\displaystyle f(x) = \cos x + \int_0^{\frac{\pi}{2}} f(t)\,dt$

(2) $f(x) = e^x \int_0^1 \dfrac{1}{e^t+1} dt + \int_0^1 \dfrac{f(t)}{e^t+1} dt$

(3) $f(x) = \dfrac{1}{2}x + \int_0^x (t-x)\sin t\, dt$

基本 例題 161

$-2 \leqq x \leqq 2$ のとき，関数 $f(x) = \displaystyle\int_0^x (1-t^2)e^t\,dt$ の最大値・最小値と，そのときの x の値を求めよ。

練習 (基本) **161**　$f(x) = \displaystyle\int_0^x e^t \cos t\, dt$ $(0 \leqq x \leqq 2\pi)$ の最大値とそのときの x の値を求めよ。

基 本 例題 162

(1) 定積分 $I(a) = \displaystyle\int_0^1 \left(\sin \frac{\pi}{2} x - ax \right)^2 dx$ を求めよ。

(2) $I(a)$ の値を最小にする a の値を求め，そのときの積分の値 I を求めよ。

練習 (基本) **162** $I = \int_0^\pi (x + a\cos x)^2 dx$ について，次の問いに答えよ。

(1) I を a の関数で表せ。

(2) I の最小値とそのときの a の値を求めよ。

重要 例題 163

実数 t が $1 \leq t \leq e$ の範囲を動くとき，$S(t) = \displaystyle\int_0^1 |e^x - t| dx$ の最大値と最小値を求めよ。

練習 (重要) **163** $x>0$ のとき，関数 $f(x)=\displaystyle\int_0^1\left|\log\dfrac{t+1}{x}\right|dt$ の最小値を求めよ。

25. 定積分と和の極限，不等式

基本 例題 164

解説動画

次の極限値を求めよ。

(1) $\displaystyle \lim_{n \to \infty} \sum_{k=1}^{n} \left(\frac{n+k}{n^4} \right)^{\frac{1}{3}}$

(2) $\displaystyle \lim_{n \to \infty} \sum_{k=1}^{n} \frac{n^2}{(k+n)^2(k+2n)}$

練習 (基本) **164** 次の極限値を求めよ。

(1) $\displaystyle \lim_{n \to \infty} \sum_{k=1}^{n} \frac{\pi}{n} \sin^2 \frac{k\pi}{n}$

(2) $\displaystyle\lim_{n\to\infty}\frac{1}{n^2}\left(e^{\frac{1}{n}}+2e^{\frac{2}{n}}+3e^{\frac{3}{n}}+\cdots\cdots+ne^{\frac{n}{n}}\right)$

基本 例題 165

次の極限値を求めよ。

(1) $\displaystyle\lim_{n\to\infty}\sum_{k=1}^{2n}\frac{1}{3n+k}$

(2) $\displaystyle\lim_{n\to\infty}\frac{1}{\sqrt{n}}\sum_{k=n+1}^{2n}\frac{1}{\sqrt{k}}$

練習 (基本) **165**　次の極限値を求めよ。(2) では $p>0$ とする。

(1)　$\displaystyle\lim_{n\to\infty}\frac{1}{n}\left\{\left(\frac{1}{n}\right)^2+\left(\frac{2}{n}\right)^2+\left(\frac{3}{n}\right)^2+\cdots\cdots+\left(\frac{3n}{n}\right)^2\right\}$

(2)　$\displaystyle\lim_{n\to\infty}\frac{(n+1)^p+(n+2)^p+\cdots\cdots+(n+2n)^p}{1^p+2^p+\cdots\cdots+(2n)^p}$

極限値 $\displaystyle \lim_{n \to \infty} \frac{1}{n} \sqrt[n]{\frac{(4n)!}{(3n)!}}$ を求めよ。

練習(重要)**166** 数列 $a_n = \dfrac{1}{n^2} \sqrt[n]{{}_{4n}\mathrm{P}_{2n}}$ $(n=1,\ 2,\ 3,\ \cdots\cdots)$ の極限値 $\lim\limits_{n\to\infty} a_n$ を求めよ。

[重][要] **例題 167**

長さ 2 の線分 AB を直径とする半円周を点 $\mathrm{A}=\mathrm{P}_0$, P_1, $\cdots\cdots$, P_{n-1}, $\mathrm{P}_n=\mathrm{B}$ で n 等分する。

(1) $\triangle \mathrm{AP}_k\mathrm{B}$ の 3 辺の長さの和 $\mathrm{AP}_k + \mathrm{P}_k\mathrm{B} + \mathrm{BA}$ を $l_n(k)$ とおく。$l_n(k)$ を求めよ。

(2) 極限値 $\alpha = \lim\limits_{n \to \infty} \dfrac{l_n(1) + l_n(2) + \cdots\cdots + l_n(n)}{n}$ を求めよ。ただし，$l_n(n) = 4$ とする。

練習 (重要) **167** 曲線 $y = \sqrt{4-x}$ を C とする。$t\,(2 \leqq t \leqq 3)$ に対して，曲線 C 上の点 $(t, \sqrt{4-t})$ と原点，点 $(t, 0)$ の 3 点を頂点とする三角形の面積を $S(t)$ とする。区間 $[2, 3]$ を n 等分し，その端点と分点を小さい方から順に $t_0 = 2,\ t_1,\ t_2,\ \cdots\cdots,\ t_{n-1},\ t_n = 3$ とするとき，極限値 $\lim\limits_{n \to \infty} \dfrac{1}{n} \sum\limits_{k=1}^{n} S(t_k)$ を求めよ。

重要 例題 168

n 個のボールを $2n$ 個の箱へ投げ入れる。各ボールはいずれかの箱に入るものとし，どの箱に入る確率も等しいとする。どの箱にも 1 個以下のボールしか入っていない確率を p_n とする。このとき，極限値 $\displaystyle\lim_{n\to\infty}\frac{\log p_n}{n}$ を求めよ。

練習 (重要) **168**　n を 5 以上の自然数とする。1 から n までの異なる番号をつけた n 個の袋があり，番号 k の袋には黒玉 k 個と白玉 $n-k$ 個が入っている。まず，n 個の袋から無作為に 1 つ袋を選ぶ。次に，その選んだ袋から玉を 1 つ取り出してもとに戻すという試行を 5 回繰り返す。このとき，黒玉をちょうど 3 回取り出す確率を p_n とする。極限値 $\lim_{n \to \infty} p_n$ を求めよ。

基本 例題 169

(1) 次の不等式を証明せよ。

(ア) $0 < x < \dfrac{1}{2}$ のとき $1 < \dfrac{1}{\sqrt{1-x^3}} < \dfrac{1}{\sqrt{1-x^2}}$

(イ) $\dfrac{1}{2} < \displaystyle\int_0^{\frac{1}{2}} \dfrac{dx}{\sqrt{1-x^3}} < \dfrac{\pi}{6}$

(2) 不等式 $\displaystyle\int_0^a e^{-t^2} dt \geqq a - \dfrac{a^3}{3}$ を証明せよ。ただし，$a \geqq 0$ とする。

練習 (基本) **169** (1) 次の不等式を証明せよ。

(ア) $0 < x < \dfrac{\pi}{4}$ のとき $1 < \dfrac{1}{\sqrt{1-\sin x}} < \dfrac{1}{\sqrt{1-x}}$

(イ) $\dfrac{\pi}{4} < \displaystyle\int_0^{\frac{\pi}{4}} \dfrac{dx}{\sqrt{1-\sin x}} < 2 - \sqrt{4-\pi}$

(2) $x > 0$ のとき，不等式 $\displaystyle\int_0^x e^{-t^2}dt < x - \dfrac{x^3}{3} + \dfrac{x^5}{10}$ を証明せよ。

重要 例題 170

n は 2 以上の自然数とする。次の不等式を証明せよ。

$$\log(n+1) < 1 + \frac{1}{2} + \frac{1}{3} + \cdots\cdots + \frac{1}{n} < \log n + 1$$

練習 (重要) **170**　次の不等式を証明せよ。ただし，n は自然数とする。

(1)　$\dfrac{1}{1^2} + \dfrac{1}{2^2} + \dfrac{1}{3^2} + \cdots\cdots + \dfrac{1}{n^2} < 2 - \dfrac{1}{n}$　$(n \geqq 2)$

(2) $2\sqrt{n+1}-2<1+\dfrac{1}{\sqrt{2}}+\dfrac{1}{\sqrt{3}}+\cdots\cdots+\dfrac{1}{\sqrt{n}}\leqq 2\sqrt{n}-1$

２６．関連発展問題
演 習 例題 171

自然数 n に対して，$a_n = \displaystyle\int_0^{\frac{\pi}{4}} \tan^{2n} x \, dx$ とする。

(1) a_1 を求めよ。

(2) a_{n+1} を a_n で表せ。

(3) $\displaystyle\lim_{n \to \infty} a_n$ を求めよ。

練習 (演習) **171**　自然数 n に対して，$I_n = \displaystyle\int_0^1 \frac{x^n}{1+x}dx$ とする。

(1)　I_1 を求めよ。また，$I_n + I_{n+1}$ を n で表せ。

(2)　不等式 $\dfrac{1}{2(n+1)} \leqq I_n \leqq \dfrac{1}{n+1}$ が成り立つことを示せ。

(3)　$\displaystyle\lim_{n\to\infty}\sum_{k=1}^{n}\frac{(-1)^{k-1}}{k} = \log 2$ が成り立つことを示せ。

 例題 172

次の極限値を求めよ。

(1)　$\displaystyle \lim_{x \to \infty} \int_1^x te^{-t} dt$

(2)　$\displaystyle \lim_{x \to 0} \frac{1}{x} \int_0^x \sqrt{1 + 3\cos^2 t}\, dt$

練習 (演習) **172** (1) （ア） $1 \leqq x \leqq e$ において，不等式 $\log x \leqq \dfrac{x}{e}$ が成り立つことを示せ。

（イ） 自然数 n に対し，$\displaystyle\lim_{n \to \infty} \int_1^e x^2 (\log x)^n dx$ を求めよ。

(2) $\displaystyle\lim_{x \to 0} \dfrac{1}{2x} \int_0^x t e^{t^2} dt$ を求めよ。

演習 例題 173

$f(x)$, $g(x)$ はともに区間 $a \leqq x \leqq b$ $(a < b)$ で定義された連続な関数とする。

このとき, 不等式 $\left\{\displaystyle\int_a^b f(x)g(x)dx\right\}^2 \leqq \left(\displaystyle\int_a^b \{f(x)\}^2 dx\right)\left(\displaystyle\int_a^b \{g(x)\}^2 dx\right)$ ……〔A〕が成立することを示せ。

また, 等号はどのようなときに成立するかを述べよ。

練習 (演習) **173** 関数 $f(x)$ が区間 $[0, 1]$ で連続で常に正であるとき，次の不等式を証明せよ。

(1) $\left\{ \displaystyle\int_0^1 f(x)\,dx \right\} \left\{ \displaystyle\int_0^1 \frac{1}{f(x)}\,dx \right\} \geqq 1$

(2) $\displaystyle\int_0^1 \frac{1}{1+x^2 e^x}\,dx \geqq \frac{1}{e-1}$

演 習 例題 174

$a_n = 1 - \dfrac{1}{2} + \dfrac{1}{3} - \cdots\cdots + (-1)^{n-1}\dfrac{1}{n}$, $\alpha = \displaystyle\int_0^1 \dfrac{1}{1+x}\,dx$ とする。$|a_n - \alpha| \leqq \displaystyle\int_0^1 x^n\,dx$ であることを示

し，$\displaystyle\lim_{n\to\infty} a_n$ を求めよ。

練習 (演習) **174**　自然数 n に対して，$R_n(x) = \dfrac{1}{1+x} - \{1 - x + x^2 - \cdots\cdots + (-1)^n x^n\}$ とする。

(1)　$\displaystyle\lim_{n\to\infty}\int_0^1 R_n(x^2)\,dx$ を求めよ。

(2) 無限級数 $1 - \dfrac{1}{3} + \dfrac{1}{5} - \dfrac{1}{7} + \cdots\cdots$ の和を求めよ。

演習 例題 175

(1) 2以上の自然数 n に対して，次の不等式を証明せよ。

$$n\log n - n + 1 < \log(n!) < (n+1)\log(n+1) - n$$

(2) 極限値 $\displaystyle \lim_{n \to \infty} \frac{\log(n!)}{n \log n - n}$ を求めよ。

練習 (演習) **175** n を 2 以上の自然数とする。

(1) 定積分 $\displaystyle \int_1^n x \log x \, dx$ を求めよ。

⑵ 次の不等式を証明せよ。

$$\frac{1}{2}n^2\log n - \frac{1}{4}(n^2-1) < \sum_{k=1}^{n} k\log k < \frac{1}{2}n^2\log n - \frac{1}{4}(n^2-1) + n\log n$$

(3) $\displaystyle \lim_{n\to\infty} \frac{\log\left(1^1 \cdot 2^2 \cdot 3^3 \cdot \ \cdots\cdots \ \cdot n^{\,n}\right)}{n^2 \log n}$ を求めよ。

２７．面　積

基本 例題 176

次の曲線と直線で囲まれた部分の面積 S を求めよ。

(1) $y=-\cos^2 x$ $\left(0 \leq x \leq \dfrac{\pi}{2}\right)$, x 軸, y 軸

(2) $y=(3-x)e^x$, $x=0$, $x=2$, x 軸

練習 (基本) **176** 次の曲線と x 軸で囲まれた部分の面積 S を求めよ。

(1) $y=-x^4+2x^3$

(2)　$y = x + \dfrac{4}{x} - 5$

(3)　$y = 10 - 9e^{-x} - e^{x}$

基 本 例題 177

区間 $0 \leqq x \leqq 2\pi$ において，2 つの曲線 $y=\sin x$，$y=\sin 2x$ で囲まれた図形の面積 S を求めよ。

練習 (基本) **177** 次の曲線または直線で囲まれた部分の面積 S を求めよ。

(1) $y=xe^x$，$y=e^x$ $(0 \leqq x \leqq 1)$，$x=0$

(2)　$y=\log\dfrac{3}{4-x}$,　$y=\log x$

(3)　$y=\sqrt{3}\cos x$,　$y=\sin 2x$ 　$(0\leqq x\leqq\pi)$

(4)　$y=(\log x)^2,\ \ y=\log x^2\ \ (x>0)$

基 本 例題 178

次の曲線と直線で囲まれた部分の面積 S を求めよ。

(1) $y = e\log x$, $y = -1$, $y = 2e$, y 軸

(2) $y = -\cos x$ $(0 \leqq x \leqq \pi)$, $y = \dfrac{1}{2}$, $y = -\dfrac{1}{2}$, y 軸

95

練習 (基本) **178**　次の曲線と直線で囲まれた部分の面積 S を求めよ。

(1)　$x = y^2 - 2y - 3$,　$y = -x - 1$

(2)　$y = \dfrac{1}{\sqrt{x}}$,　$y = 1$,　$y = \dfrac{1}{2}$,　y 軸

(3)　$y = \tan x$　$\left(0 \leqq x < \dfrac{\pi}{2} \right)$,　$y = \sqrt{3}$,　$y = 1$,　y 軸

基本 例題 179

曲線 $y=\log x$ が曲線 $y=ax^2$ と接するように正の定数 a の値を定めよ。また，そのとき，これらの曲線と x 軸で囲まれる図形の面積を求めよ。

練習 (基本) **179**　e は自然対数の底，a，b，c は実数である。放物線 $y=ax^2+b$ を C_1 とし，曲線 $y=c\log x$ を C_2 とする。C_1 と C_2 が点 $\mathrm{P}(e,\ e)$ で接しているとき

(1)　a，b，c の値を求めよ。

(2)　C_1，C_2 および x 軸，y 軸で囲まれた図形の面積を求めよ。

基 本 例題 180

2つの楕円 $x^2+3y^2=4$ …… ①, $3x^2+y^2=4$ …… ② がある。

(1) 2つの楕円の4つの交点の座標を求めよ。

(2) 2つの楕円の内部の重なった部分の面積を求めよ。

練習 ⒧基本⒧ **180**　次の面積を求めよ。

⑴　連立不等式 $x^2+y^2 \leqq 4$，$xy \geqq \sqrt{3}$，$x>0$，$y>0$ で表される領域の面積

(2) 2つの楕円 $x^2+\dfrac{y^2}{3}=1$, $\dfrac{x^2}{3}+y^2=1$ の内部の重なった部分の面積

基本 例題 181

曲線 $(x^2-2)^2+y^2=4$ で囲まれる部分の面積 S を求めよ。

解説動画

練習 (基本) **181**　次の図形の面積 S を求めよ。

(1)　曲線 $\sqrt{x}+\sqrt{y}=2$ と x 軸および y 軸で囲まれた図形

(2)　曲線 $y^2 = (x+3)x^2$ で囲まれた図形

(3)　曲線 $2x^2 - 2xy + y^2 = 4$ で囲まれた図形

基本 例題 182

媒介変数 t によって，$x=4\cos t$，$y=\sin 2t$ $\left(0\leqq t\leqq\dfrac{\pi}{2}\right)$ と表される曲線と x 軸で囲まれた部分の面積 S を求めよ。

練習 (基本) **182** 曲線 $\begin{cases} x=t-\sin t \\ y=1-\cos t \end{cases}$ $(0 \leqq t \leqq \pi)$ と x 軸および直線 $x=\pi$ で囲まれる部分の面積 S を求めよ。

重要 例題 183

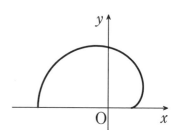

媒介変数 t によって，$x=2\cos t-\cos 2t$，$y=2\sin t-\sin 2t$

$(0\leqq t\leqq\pi)$ と表される右図の曲線と，x 軸で囲まれた図形の面積 S

を求めよ。

練習 (重要) **183** 媒介変数 t によって，$x=2t+t^2$，$y=t+2t^2$ $(-2 \leqq t \leqq 0)$ と表される曲線と，y 軸で囲まれた図形の面積 S を求めよ。

重要 例題 184

方程式 $\sqrt{2}(x-y)=(x+y)^2$ で表される曲線 A について，次のものを求めよ。

(1) 曲線 A を原点 O を中心として $\dfrac{\pi}{4}$ だけ回転させてできる曲線の方程式

(2) 曲線 A と直線 $x=\sqrt{2}$ で囲まれる図形の面積

練習 (重要) **184** a は 1 より大きい定数とする。曲線 $x^2 - y^2 = 2$ と直線 $x = \sqrt{2}\,a$ で囲まれた図形の面積 S を，原点を中心とする $\dfrac{\pi}{4}$ の回転移動を考えることにより求めよ。

基本 例題 185

曲線 $C_1 : y = k\sin x$ $(0 < x < 2\pi)$ と，曲線 $C_2 : y = \cos x$ $(0 < x < 2\pi)$ について，次の問いに答えよ。ただし，$k > 0$ とする。

(1) C_1，C_2 の 2 交点の x 座標を α，β $(\alpha < \beta)$ とするとき，$\sin\alpha$，$\sin\beta$ を k を用いて表せ。

(2) C_1，C_2 で囲まれた図形の面積が 10 であるとき，k の値を求めよ。

練習 (基本) **185** $0 \leqq x \leqq \dfrac{\pi}{2}$ の範囲で，2曲線 $y = \tan x$，$y = a \sin 2x$ と x 軸で囲まれた図形の面積が 1 となるように，正の実数 a の値を定めよ。

重要 例題 186

曲線 $y = \cos x$ $\left(-\dfrac{\pi}{2} \leqq x \leqq \dfrac{\pi}{2} \right)$ と x 軸で囲まれる図形を E とする。曲線上の点 $(t,\ \cos t)$ を通る傾きが 1 の直線 ℓ で E を分割する。こうして得られた 2 つの図形の面積が等しくなるとき，$\cos t$ の値を求めよ。

練習 (重要) **186** xy 平面上に 2 曲線 $C_1 : y = e^x - 2$ と $C_2 : y = 3e^{-x}$ がある。

(1) C_1 と C_2 の共有点 P の座標を求めよ。

(2) 点 P を通る直線 ℓ が，C_1，C_2 および y 軸によって囲まれた部分の面積を 2 等分するとき，ℓ の方程式を求めよ。

重要 例題 187

曲線 $C:y=e^x$ 上の点 $P(t,\ e^t)\,(t>1)$ における接線を ℓ とする。C と y 軸の共有点を A，ℓ と x 軸の交点を Q とする。原点を O とし，$\triangle AOQ$ の面積を $S(t)$ とする。Q を通り y 軸に平行な直線，y 軸，C および ℓ で囲まれた図形の面積を $T(t)$ とする。

(1)　$S(t)$，$T(t)$ を t で表せ。

(2)　$\displaystyle\lim_{t\to 1+0}\frac{T(t)}{S(t)}$ を求めよ。

練習 (重要) **187** $g(x) = \sin^3 x$ とし，$0 < \theta < \pi$ とする。x の 2 次関数 $y = h(x)$ のグラフは原点を頂点とし，$h(\theta) = g(\theta)$ を満たすとする。このとき，曲線 $y = g(x)$ $(0 \leqq x \leqq \theta)$ と直線 $x = \theta$ および x 軸で囲まれた図形の面積を $G(\theta)$ とする。また，曲線 $y = h(x)$ と直線 $x = \theta$ および x 軸で囲まれた図形の面積を $H(\theta)$ とする。

(1) $G(\theta)$，$H(\theta)$ を求めよ。

(2) $\displaystyle \lim_{\theta \to +0} \frac{G(\theta)}{H(\theta)}$ を求めよ。

重要 例題 188　

$y=\sin x$　$(0\leqq x\leqq \pi)$ で表される曲線を C とする。

(1)　曲線 C 上の点 $\mathrm{P}(a,\ b)$ における接線 ℓ の方程式を求めよ。

(2)　$0<a<\pi$ とするとき，曲線 C と接線 ℓ および直線 $x=\pi$ と y 軸で囲まれる部分の面積 $S(a)$（2 部分の和）を求めよ。

(3)　面積 $S(a)$ の最小値とそのときの a の値を求めよ。

練習 (重要) **188** $f(x)=e^x-x$ について，次の問いに答えよ。

(1) t は実数とする。このとき，曲線 $y=f(x)$ と 2 直線 $x=t$，$x=t-1$ および x 軸で囲まれた図形の面積 $S(t)$ を求めよ。

(2) $S(t)$ を最小にする t の値とその最小値を求めよ。

重要 例題 189

曲線 $y=e^{-x}\sin x$ $(x\geqq0)$ と x 軸で囲まれた図形で，x 軸の上側にある部分の面積を y 軸に近い方から順に S_0, S_1, ……, S_n, …… とするとき，$\displaystyle\lim_{n\to\infty}\sum_{k=0}^{n}S_k$ を求めよ。

練習 (重要) **189** 曲線 $y=e^{-x}$ と $y=e^{-x}|\cos x|$ で囲まれた図形のうち，$(n-1)\pi \leqq x \leqq n\pi$ を満たす部分の面積を a_n とする $(n=1, 2, 3, \cdots\cdots)$。

(1) a_1，a_n の値を求めよ。

(2) $\displaystyle\lim_{n\to\infty}(a_1+a_2+\cdots\cdots+a_n)$ を求めよ。

重 要 例題 190

$f(x) = \dfrac{e^x - 1}{e - 1}$ とする。

(1) 方程式 $f(x) = x$ の解は，$x = 0$，1 のみであることを示せ。

(2) 関数 $y = f(x)$ のグラフとその逆関数のグラフで囲まれた部分の面積を求めよ。

練習 (重要) **190** $f(x)=\sqrt{2+x}$ $(x\geqq -2)$ とする。また，$f(x)$ の逆関数を $f^{-1}(x)$ とする。

(1) 2つの曲線 $y=f(x)$，$y=f^{-1}(x)$ および直線 $y=\sqrt{2}-x$ で囲まれた図形を図示せよ。

(2) (1) で図示した図形の面積を求めよ。

重要 例題 191

極方程式 $r=2(1+\cos\theta)$ $\left(0\leqq\theta\leqq\dfrac{\pi}{2}\right)$ で表される曲線上の点と極 O を結んだ線分が通過する領域の面積を求めよ。

練習 (重要) **191** 極方程式 $r=1+2\cos\theta$ $\left(0\leqq\theta\leqq\dfrac{\pi}{2}\right)$ で表される曲線上の点と極 O を結んだ線分が通過する領域の面積を求めよ。

２８．体　積

基本 例題 192

2 点 P$(x,\ 0)$，Q$(x,\ \sin x)$ を結ぶ線分を 1 辺とする正三角形を，x 軸に垂直な平面上に作る。P が x 軸上を原点 O から点 $(\pi,\ 0)$ まで動くとき，この正三角形が描く立体の体積を求めよ。

練習 (基本) **192**　半径 a の半円の直径を AB，中心を O とする。半円周上の点 P から AB に垂線 PQ を下ろし，線分 PQ を底辺とし，高さが線分 OQ の長さに等しい二等辺三角形 PQR を半円と垂直な平面上に作り，P を $\overset{\frown}{\mathrm{AB}}$ 上で動かす。この $\triangle$PQR が描く立体の体積を求めよ。

基本 例題 193

底面の半径 a，高さ b の直円柱をその軸を含む平面で切って得られる半円柱がある。底面の半円の直径を AB，上面の半円の弧の中点を C として，3 点 A，B，C を通る平面でこの半円柱を 2 つに分けるとき，その下側の立体の体積 V を求めよ。

練習 (基本) 193 xy 平面上の楕円 $\dfrac{x^2}{a^2}+\dfrac{y^2}{b^2}=1$ $(a>0,\ b>0)$ を底面とし，高さが十分にある直楕円柱を，y 軸を含み xy 平面と $45°$ の角をなす平面で 2 つの立体に切り分けるとき，小さい方の立体の体積を求めよ。

基本 例題 194

次の曲線や座標軸で囲まれた部分を x 軸の周りに 1 回転させてできる立体の体積 V を求めよ。

(1) $y=1-\sqrt{x}$, x 軸, y 軸

(2) $y=1+\cos x$ $(-\pi \leqq x \leqq \pi)$, x 軸

練習 (基本) **194** 次の曲線や直線で囲まれた部分を x 軸の周りに 1 回転させてできる立体の体積 V を求めよ。

(1) $y=e^x$, $x=0$, $x=1$, x 軸

(2) $y=\tan x$, $x=\dfrac{\pi}{4}$, x 軸

(3) $y=x+\dfrac{1}{\sqrt{x}}$, $x=1$, $x=4$, x 軸

基 本 例題 195

次の図形を x 軸の周りに 1 回転させてできる立体の体積 V を求めよ。

(1) 放物線 $y=-x^2+4x$ と直線 $y=x$ で囲まれた図形

(2) 円 $x^2+(y-2)^2=4$ の周および内部

練習 (基本) **195** 次の 2 曲線で囲まれた部分を x 軸の周りに 1 回転させてできる立体の体積 V を求めよ。

(1) $y=x^2-2$, $y=2x^2-3$

(2)　$y=\sqrt{3}\,x^2$,　$y=\sqrt{4-x^2}$

基本 例題 196　　　　　　　　　　　　　　　　　　　　□

放物線 $y=x^2-2x$ と直線 $y=-x+2$ で囲まれた部分を x 軸の周りに 1 回転させてできる立体の体積 V を求めよ。

練習 (基本) **196**　2曲線 $y = \cos\dfrac{x}{2}$ $(0 \leqq x \leqq \pi)$ と $y = \cos x$ $(0 \leqq x \leqq \pi)$ を考える。

(1)　上の2曲線と直線 $x = \pi$ を描き，これらで囲まれる領域を斜線で図示せよ。

(2)　(1) で示した斜線部分の領域を x 軸の周りに1回転して得られる回転体の体積 V を求めよ。

基本 例題 197

水を満たした半径 r の半球形の容器がある。これを静かに角 α だけ傾けたとき，こぼれ出た水の量を r, α で表せ。(α は弧度法で表された角とする。)

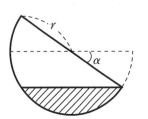

練習 (基本) 197 水を満たした半径 2 の半球形の容器がある。これを静かに角 α 傾けたとき，水面が h だけ下がり，こぼれ出た水の量と容器に残った水の量の比が $11:5$ になった。h と α の値を求めよ。ただし，α は弧度法で答えよ。

基本 例題 198

次の回転体の体積 V を求めよ。

(1) 楕円 $\dfrac{x^2}{9} + \dfrac{y^2}{4} = 1$ を y 軸の周りに 1 回転させてできる回転体

(2) 曲線 $C : y = \log(x^2 + 1)$ $(0 \le x \le 1)$ と直線 $y = \log 2$，および y 軸で囲まれた部分を y 軸の周りに 1 回転させてできる回転体

練習 (基本) **198** 次の曲線や直線で囲まれた部分を y 軸の周りに 1 回転させてできる回転体の体積 V を求めよ。

(1) $y = x^2$，$y = \sqrt{x}$

(2)　$y=-x^4+2x^2\ (x\geqq0)$,　x 軸

(3)　$y=\cos x\ \ (0\leqq x\leqq\pi)$,　$y=-1$,　y 軸

関数 $f(x) = \sin x \ (0 \leqq x \leqq \pi)$ について，関数 $y = f(x)$ のグラフと x 軸で囲まれた部分を y 軸の周りに 1 回転させてできる立体の体積 V は，$V = 2\pi \displaystyle\int_0^\pi x f(x) \, dx$ で与えられることを示せ。また，この体積を求めよ。

練習 (重要) **199** 　放物線 $y=2x-x^2$ と x 軸で囲まれた部分を y 軸の周りに 1 回転させてできる立体の体積を求めよ。

基本 例題 200

曲線 $C：y=\log x$ に原点から接線 ℓ を引く。曲線 C と接線 ℓ および x 軸で囲まれた図形を D とするとき，次の回転体の体積を求めよ。

(1) 　D を x 軸の周りに 1 回転させてできる回転体の体積 V_x

(2) D を y 軸の周りに 1 回転させてできる回転体の体積 V_y

練習 (基本) **200** a を正の定数とする。曲線 $C_1 : y = \log x$ と曲線 $C_2 : y = ax^2$ が共有点 T で共通の接線 ℓ をもつとする。また，C_1 と ℓ と x 軸によって囲まれる部分を S_1 とし，C_2 と ℓ と x 軸によって囲まれる部分を S_2 とする。次のものを求めよ。

(1) a の値，および直線 ℓ の方程式

(2) S_1 を x 軸の周りに 1 回転させて得られる回転体の体積

(3) S_2 を y 軸の周りに 1 回転させて得られる回転体の体積

基本 例題 201

曲線 $x=\tan\theta$, $y=\cos 2\theta$ $\left(-\dfrac{\pi}{2}<\theta<\dfrac{\pi}{2}\right)$ と x 軸で囲まれた部分を x 軸の周りに 1 回転させてできる回転体の体積 V を求めよ。

練習 (基本) **201**　曲線 $C : x = \cos t$, $y = 2\sin^3 t$ $\left(0 \leqq t \leqq \dfrac{\pi}{2}\right)$ がある。

(1)　曲線 C と x 軸および y 軸で囲まれる図形の面積を求めよ。

(2)　(1) で考えた図形を y 軸の周りに 1 回転させて得られる回転体の体積を求めよ。

140

重 要 例題 202

不等式 $x^2 - x \leqq y \leqq x$ で表される座標平面上の領域を，直線 $y = x$ の周りに 1 回転して得られる回転体の体積 V を求めよ。

練習 (重要) **202**　次の図形を直線 $y=x$ の周りに 1 回転させてできる回転体の体積 V を求めよ。

(1)　放物線 $y=x^2$ と直線 $y=x$ で囲まれた図形

(2) 曲線 $y=\sin x$ $(0\leqq x\leqq\pi)$ と 2 直線 $y=x$, $x+y=\pi$ で囲まれた図形

重 要 例題 203

xyz 空間において，次の連立不等式が表す立体を考える。

$$0 \leqq x \leqq 1, \ 0 \leqq y \leqq 1, \ 0 \leqq z \leqq 1, \ x^2 + y^2 + z^2 - 2xy - 1 \geqq 0$$

(1) この立体を平面 $z = t$ で切ったときの断面を xy 平面に図示し，この断面の面積 $S(t)$ を求めよ。

(2) この立体の体積 V を求めよ。

練習 (重要) **203** r を正の実数とする。xyz 空間において，連立不等式
$$x^2 + y^2 \leqq r^2, \quad y^2 + z^2 \geqq r^2, \quad z^2 + x^2 \leqq r^2$$
を満たす点全体からなる立体の体積を，平面 $x = t$ $(0 \leqq t \leqq r)$ による切り口を考えることにより求めよ。

重要 例題 204

両側に無限に伸びた直円柱で，切り口が半径 a の円になっているものが2つある。いま，これらの直円柱は中心軸が $\dfrac{\pi}{4}$ の角をなすように交わっているとする。交わっている部分 (共通部分) の体積を求めよ。

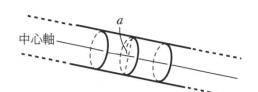

練習 (重要) **204**　4 点 $(0, 0, 0)$, $(1, 0, 0)$, $(0, 1, 0)$, $(0, 0, 1)$ を頂点とする三角錐を C, 4 点 $(0, 0, 0)$, $(-1, 0, 0)$, $(0, 1, 0)$, $(0, 0, 1)$ を頂点とする三角錐を x 軸の正の方向に a $(0 < a < 1)$ だけ平行移動したものを D とする。このとき, C と D の共通部分の体積 $V(a)$ を求めよ。また, $V(a)$ が最大になるときの a の値を求めよ。

重要 例題 205

a, b を正の実数とする。座標空間内の 2 点 A $(0,\ a,\ 0)$，B $(1,\ 0,\ b)$ を通る直線を ℓ とし，直線 ℓ を x 軸の周りに 1 回転して得られる図形を M とする。

(1) x 座標の値が t であるような直線 ℓ 上の点 P の座標を求めよ。

(2) 図形 M と 2 つの平面 $x=0$ と $x=1$ で囲まれた立体の体積を求めよ。

練習(重要)**205** xyz 空間において，2 点 P$(1,\ 0,\ 1)$，Q$(-1,\ 1,\ 0)$ を考える。線分 PQ を x 軸の周りに 1 回転して得られる立体を S とする。立体 S と，2 つの平面 $x=1$ および $x=-1$ で囲まれる立体の体積を求めよ。

重要 例題 206　　　　　　　　　　　　　　　□

xyz 空間内の 3 点 O $(0,\ 0,\ 0)$, A $(1,\ 0,\ 0)$, B $(1,\ 1,\ 0)$ を頂点とする三角形 OAB を x 軸の周りに 1 回転させてできる円錐を V とする。円錐 V を y 軸の周りに 1 回転させてできる立体の体積を求めよ。

練習 (重要) **206** xyz 空間において，平面 $y=z$ の中で $|x| \leqq \dfrac{e^y + e^{-y}}{2} - 1$，$0 \leqq y \leqq \log a$ で与えられる図形 D を考える。ただし，a は 1 より大きい定数とする。この図形 D を y 軸の周りに 1 回転させてできる立体の体積を求めよ。

重要 例題 207

□

(1) 平面で，半径 r $(r \leqq 1)$ の円の中心が，辺の長さが 4 の正方形の辺上を 1 周するとき，この円が通過する部分の面積 $S(r)$ を求めよ。

(2) 空間で，半径 1 の球の中心が，辺の長さが 4 の正方形の辺上を 1 周するとき，この球が通過する部分の体積 V を求めよ。

練習 (重要) **207** xy 平面上の原点を中心とする単位円を底面とし，点 $\mathrm{P}(t,\ 0,\ 1)$ を頂点とする円錐を K とする。t が $-1 \leqq t \leqq 1$ の範囲を動くとき，円錐 K の表面および内部が通過する部分の体積を求めよ。

29. 曲線の長さ，速度と道のり

基 本 例題 208

次の曲線の長さを求めよ。(1) では $a>0$ とする。

(1) アステロイド $x=a\cos^3 t,\ y=a\sin^3 t\ \ (0\leqq t\leqq 2\pi)$

(2) $y=\log\left(x+\sqrt{x^2-1}\right)\ \ (\sqrt{2}\leqq x\leqq 4)$

練習 (基本) **208** 次の曲線の長さを求めよ。

(1) $x=2t-1,\ y=e^t+e^{-t}\ \ (0\leqq t\leqq 1)$

(2) $x = t - \sin t, \quad y = 1 - \cos t \quad (0 \leqq t \leqq \pi)$

(3) $y = \dfrac{x^3}{3} + \dfrac{1}{4x} \quad (1 \leqq x \leqq 2)$

(4) $y = \log(\sin x) \quad \left(\dfrac{\pi}{3} \leqq x \leqq \dfrac{\pi}{2} \right)$

重要 例題 209 ☐ 解説動画

円 $C: x^2+y^2=9$ の内側を半径 1 の円 D が滑らずに転がる。時刻 t において D は点 $(3\cos t,\ 3\sin t)$ で C に接している。

(1) 時刻 $t=0$ において点 $(3,\ 0)$ にあった D 上の点 P の時刻 t における座標 $(x(t),\ y(t))$ を求めよ。

　ただし，$0 \leqq t \leqq \dfrac{2}{3}\pi$ とする。

(2) (1) の範囲で点 P の描く曲線の長さを求めよ。

練習 (重要) **209**　$a > 0$ とする。長さ $2\pi a$ のひもが一方の端を半径 a の円周上の点 A に固定して，その円に巻きつけてある。このひもを引っ張りながら円からはずしていくとき，ひもの他方の端 P が描く曲線の長さを求めよ。

基本 例題 210 □ ▷解説動画

(1) 数直線上を点 1 から出発して t 秒後の速度 v が $v = t(t-1)(t-2)$ で運動する点 P がある。出発してから 3 秒後の P の位置は $^{ア}\boxed{}$ であり，P が動いた道のりは $^{イ}\boxed{}$ である。

(2) x 軸上を，原点から出発して t 秒後の加速度が $\dfrac{1}{1+t}$ であるように動く物体がある。物体の初速度が v_0 のとき，出発してから t 秒後の物体の速度と位置を求めよ。

練習 (基本) **210** (1) x 軸上を動く 2 点 P，Q が同時に原点を出発して，t 秒後の速度はそれぞれ $\sin \pi t$，$2\sin \pi t$ (/s) である。

(ア) $t=3$ における P の座標を求めよ。

(イ) $t=0$ から $t=3$ までに P が動いた道のりを求めよ。

(ウ) 出発後初めて 2 点 P，Q が重なるのは何秒後か。また，このときまでの Q の道のりを求めよ。

(2) x 軸上を動く点の加速度が時刻 t の関数 $6(2t^2-2t+1)$ であり，$t=0$ のとき点 1，速度 -1 である。$t=1$ のときの点の位置を求めよ。

基本 例題 211

□

時刻 t における動点 P の座標が $x=e^{-t}\cos t$，$y=e^{-t}\sin t$ で与えられている。$t=1$ から $t=2$ までに P が動いた道のりを求めよ。

練習 (基本) 211　時刻 t における座標が次の式で与えられる点が動く道のりを求めよ。

(1)　$x=t^2$，$y=t^3$ $(0 \leqq t \leqq 1)$

(2) $x = t^2 - \sin t^2$, $y = 1 - \cos t^2$ $(0 \leqq t \leqq \sqrt{2\pi})$

$\boxed{重}\boxed{要}$ 例題 212

曲線 $y = x^2$ $(0 \leqq x \leqq 1)$ を y 軸の周りに 1 回転してできる形の容器に水を満たす。この容器の底に排水口がある。時刻 $t = 0$ に排水口を開けて排水を開始する。時刻 t において容器に残っている水の深さを h, 体積を V とする。V の変化率 $\dfrac{dV}{dt}$ は $\dfrac{dV}{dt} = -\sqrt{h}$ で与えられる。

(1) 水深 h の変化率 $\dfrac{dh}{dt}$ を h を用いて表せ。

(2) 容器内の水を完全に排水するのにかかる時間 T を求めよ。

練習 (重要) **212** 曲線 $y = x(1-x)$ $\left(0 \leqq x \leqq \dfrac{1}{2}\right)$ を y 軸の周りに回転してできる容器に，単位時間あたり一定の割合 V で水を注ぐ。

(1) 水面の高さが h $\left(0 \leqq h \leqq \dfrac{1}{4}\right)$ であるときの水の体積を $v(h)$ とすると，$v(h) = \dfrac{\pi}{2} \displaystyle\int_0^h \left(\boxed{}\right) dy$

と表される。ただし，$\boxed{}$ には y の関数を入れよ。

(2) 水面の上昇する速度 u を水面の高さ h の関数として表せ。

(3) 空の容器に水がいっぱいになるまでの時間を求めよ。

162

30. 発展 微分方程式

演 習 例題 213

解説動画

y は x の関数とする。次の微分方程式を解け。ただし，(1) は [　] 内の初期条件のもとで解け。

(1) $2yy' = 1$ 　$[x=1$ のとき $y=1]$

(2) $y = xy' + 1$

練習 (演習) 213 (1) A, B を任意の定数とする方程式 $y = A\sin x + B\cos x - 1$ から A, B を消去して微分方程式を作れ。

(2)　y は x の関数とする。次の微分方程式を解け。ただし，(イ) は [　] 内の初期条件のもとで解け。

　(ア)　$y' = a y^2$ （a は定数）

　(イ)　$x y' + y = y' + 1$ ［$x = 2$ のとき $y = 2$］

演習 例題 214

y は x の関数とする。

(1) a, b, c は定数とする。$\dfrac{dy}{dx} = f(ax+by+c)$ を $ax+by+c = z$ とおき換えることにより，z に関する微分方程式として表せ。

(2) (1) を利用して，微分方程式 $\dfrac{dy}{dx} = x+y+1$ を解け。

練習 (演習) **214**　y は x の関数とする。( ) 内のおき換えを利用して，次の微分方程式を解け。

(1)　$\dfrac{dy}{dx} = \dfrac{1-x-y}{x+y}$　　$(x+y=z)$

(2) $\dfrac{dy}{dx} = (x-y)^2$ $(x-y=z)$

演習 例題 215

第1象限にある曲線 C 上の任意の点における接線は常に x 軸，y 軸の正の部分と交わり，その交点をそれぞれ Q，R とすると，接点 P は線分 QR を $2:1$ に内分するという。この曲線 C が点 $(1,\ 1)$ を通るとき，C の方程式を求めよ。

練習 (演習) **215** 点 $(1,\ 1)$ を通る曲線上の点 P における接線が x 軸, y 軸と交わる点をそれぞれ Q, R とし, O を原点とする。この曲線は第 1 象限にあるとして, 常に $\triangle ORP = 2\triangle OPQ$ であるとき, 曲線の方程式を求めよ。